Lunik et Mira
Un conte de Noël

Robin Muller

Texte français de
Hélène Pilotto

Éditions Scholastic

Catalogage avant publication de Bibliothèque et Archives Canada
Muller, Robin
[Moon and Star. Français]
Lunik et Mira / Robin Muller; texte français d'Hélène Pilotto.
Traduction de : Moon and Star.
ISBN 0-439-97467-4
I. Pilotto, Hélène II. Titre. III. Titre: Moon and Star. Français.
PS8576.U424M6614 2005   jC813'.54   C2005-903004-6

Édition publiée par les Éditions Scholastic,
604, rue King Ouest, Toronto (Ontario) M5V 1E1 CANADA.
6 5 4 3 2   Imprimé à Singapour   06 07 08 09 10

À Samantha Youssef,
l'ange à la cime du sapin de Noël,

et à Chip Jones, un ami cher
et un conseiller patient

oin d'ici, il y a bien longtemps, vivait un chien. Il appartenait à la propriétaire d'une boutique de jouets. C'était un gros chien très doux avec, autour de l'œil, une tache étrange en forme de croissant de lune. La vieille dame l'avait baptisé Lunik.

Lunik aimait tous les jouets de la boutique, mais dans le secret de son cœur, il en aimait un plus que les autres : une figurine nommée Mira. C'était une chatte de porcelaine, toute petite et toute délicate, au museau orné d'une étoile brillante. Lunik la voulait pour lui seul. Chaque soir, lorsque la vieille dame était au lit, Lunik apportait Mira sur sa carpette, près du poêle. Puis il se roulait en boule autour d'elle et s'endormait le cœur content, veillant à la remettre sur l'étagère avant que la vieille dame se lève le lendemain matin.

À l'approche de Noël, la vieille dame imagina différentes façons de décorer la vitrine de la boutique. Elle opta finalement pour un sapin orné de ses plus beaux jouets. Elle commanda donc l'arbre et, quand il arriva, elle se mit au travail, décorant les branches une à une, jusqu'à la dernière. Il ne manquait plus que le jouet qui ornerait la cime de l'arbre.

Elle y installa une magnifique poupée aux joues roses et aux yeux noirs comme du jais, vêtue d'une cape aussi chatoyante que si elle avait été tissée de fil d'or.

— Quand j'étais enfant, dit la vieille dame à Lunik, on racontait que le jouet qui se trouvait en haut de l'arbre surveillait tous les autres jouets et s'assurait que chacun allait à la personne qui l'aimerait le plus.

Lunik agita la queue et, pendant que la vieille dame allumait les bougies du sapin, il camoufla Mira parmi les branches. Lunik était convaincu que Mira lui reviendrait, car personne ne pouvait aimer la petite chatte de porcelaine plus que lui.

Le sapin de la vitrine attira beaucoup de clients, tant et si bien qu'à la fin de l'après-midi de la veille de Noël, presque tous les jouets avaient été vendus. La vieille dame s'apprêtait à fermer sa boutique quand une grosse voiture arriva. Une femme richement vêtue en descendit et entra dans la boutique. Elle arpenta les lieux, regardant avec dédain les jouets qui n'avaient pas été vendus.

— Non, non, non, dit-elle.

Elle s'apprêtait à sortir quand elle aperçut Mira, blottie entre les branches du sapin.

— Cette petite chatte est exactement ce que je cherche, s'écria-t-elle. Je la prends!

Lunik se mit à aboyer avec frénésie.

— Cet animal est insupportable! lança la femme. Mais enfin, éloignez-le!

La vieille dame était surprise du comportement bizarre de Lunik. Elle l'entraîna dans l'arrière-boutique et l'y enferma.

— Il est si gentil d'habitude, dit-elle. Je ne sais pas ce qui lui prend.

Elle déposa la petite chatte de porcelaine dans une boîte, attacha celle-ci avec un ruban et la tendit à la femme.

Dès qu'il fut remis en liberté, Lunik se
précipita dans la rue. Trop tard : l'auto avait déjà
disparu. Lunik colla son museau au sol et suivit
sa piste. Il la suivit pendant des heures, jusque
très loin dans la campagne, et aboutit à une
longue entrée au bout de laquelle se trouvait une
riche demeure. Il avança prudemment jusqu'à une
fenêtre éclairée et jeta un coup d'œil à l'intérieur.
Il aperçut alors un gigantesque sapin de Noël,
la femme et un petit garçon.

Le petit garçon était assis parmi une montagne
de boîtes déjà ouvertes, contenant toutes sortes de
vêtements et d'accessoires. En voyant la déception
sur le visage de l'enfant, Lunik se sentit très triste.
La femme aussi avait remarqué l'air mécontent
du garçon. Elle lui tendit la boîte venant de
la boutique de jouets et accompagna son geste
d'un chaleureux « Joyeux Noël! » Le petit garçon
s'empressa de dénouer le ruban et d'ôter le
couvercle de la boîte. Son visage rayonna de
bonheur quand il vit la petite chatte de porcelaine.
Lunik se sentit tout à coup très égoïste d'avoir
voulu garder Mira pour lui seul. Après tout, elle
était peut-être destinée au petit garçon.

Avant de partir, Lunik regarda une dernière fois par la fenêtre. Le petit garçon ne souriait plus; il tournait la figurine entre ses mains avec un air intrigué.

— Que fait ce jouet? demanda-t-il d'un ton maussade. Est-ce qu'il bouge la tête? Est-ce qu'il agite la queue? Est-ce qu'il miaule?

— Il ne fait rien de tout cela, répondit la femme, il est simplement joli.

En entendant ces paroles, le petit garçon devint furieux. Sous les yeux horrifiés de Lunik, il lança Mira de toutes ses forces contre le mur, fracassant la figurine en mille morceaux.

Lunik pleura à chaudes larmes quand une servante vint balayer les morceaux. Elle les remit dans la boîte et emporta le tout hors de la pièce. Le chien se précipita à l'arrière de la maison et attendit. La servante parut bientôt; elle jeta négligemment la boîte sur un tas d'ordures. Lunik accourut et l'ouvrit d'un coup de museau. En apercevant les restes de son amie, le chien laissa échapper un hurlement de douleur.

Le cœur gros, Lunik remit le couvercle en place, saisit la boîte avec précaution entre ses mâchoires et entreprit le long trajet du retour. Les flocons de neige se mirent à tomber avec plus de force. Bientôt, une véritable tempête faisait rage. Les vents violents et les rafales de neige qui s'abattaient sur l'animal l'empêchèrent d'avancer davantage. Lunik se roula donc en boule autour de la boîte et s'endormit. Pendant son sommeil, la tempête se calma et le ciel se dégagea. Là-haut, les étoiles scintillaient. Un profond silence enveloppait la nuit, mais il fut bientôt rompu par un bruit de pas tout léger : quelqu'un approchait.

Une belle dame aux joues roses et aux yeux noirs comme du jais, vêtue d'une cape aussi chatoyante que si elle avait été tissée de fil d'or, venait vers Lunik. Sans le déranger, elle lui prit sa boîte, balaya la neige qui s'était accumulée dessus et regarda à l'intérieur. Avec grand soin, elle ramassa tous les morceaux de la figurine brisée et les pressa sur son cœur. Pendant un moment, toutes les étoiles du ciel semblèrent briller plus fort. Puis elle replaça les morceaux dans la boîte, remit le couvercle et poursuivit son chemin.

Lunik se réveilla au son des cloches. C'était le matin de Noël. Il se secoua pour se débarrasser de la neige qui le recouvrait, prit la boîte et se remit en route. Il arriva enfin devant la porte de la boutique. La vieille dame sauta de joie en le voyant. Elle voulut le serrer dans ses bras, mais la tristesse qu'elle lut dans son regard la fit changer d'idée. À pas lents, Lunik rejoignit sa carpette près du poêle, y déposa la boîte et se roula en boule autour d'elle.

— Que caches-tu là-dedans? demanda gentiment la vieille dame en soulevant le couvercle.

— Mon doux! s'écria-t-elle avec stupéfaction. Elle ressemble comme deux gouttes d'eau à la petite chatte de porcelaine que nous avions!

Un chaton bien vivant, au museau marqué d'une tache en forme d'étoile, se tenait dans la boîte. Lunik le renifla et aboya joyeusement. Sa chère Mira était de nouveau en un seul morceau!

C'est ainsi que, tous les trois, ils vécurent
heureux dans la boutique de jouets. Les années
passèrent et Mira eut des chatons bien à elle.
Tous avaient le museau orné d'une étoile brillante.
Chaque soir, quand Lunik et Mira se couchaient,
les chatons s'approchaient et se pelotonnaient
contre eux. À les voir ainsi dans la lumière
argentée, on aurait dit qu'ils étaient entourés
de toutes les étoiles que le ciel pouvait compter.